Para Anna y Flora (M.H.)

Para mi familia: S. E., H. C., P. A., O. J. (E.O.)

1.ª edición: octubre 2018
2.ª edición: mayo 2019

Título original: *Sophie Johnson: Unicorn Expert*
Publicado por acuerdo con Simon & Schuster UK Ltd
© Del texto: Morag Hood, 2018
© De las ilustraciones: Ella Okstad, 2018
© De la traducción: Adolfo Muñoz García, 2018
© Grupo Anaya, S. A., 2018
Juan Ignacio Luca de Tena, 15. 28027 Madrid
www.anayainfantilyjuvenil.com - e-mail: anayainfantilyjuvenil@anaya.es
ISBN: 978-84-698-4739-8 - Depósito legal: M-3589-2019 - Impreso en China

Sofía Alegría: experta en unicornios

Morag Hood y Ella Okstad

Traducción de Adolfo Muñoz

Me llamo
Sofía Alegría
y vivo con
un **unicornio**.

Bueno, no solo con uno.

En este momento
creo que son diecisiete.

Cuidar de tantos
es un trabajo muy duro.

¡Siempre hay mucho que hacer!

Afortunadamente,
soy una experta en unicornios.
Y ando muy ocupada enseñándoles
todo lo relacionado con la magia
de los unicornios.

Les enseño a cazar para comer...

Les enseño a identificar
a otros unicornios...
Y les hablo de los peligros
que encierran los...

... ¡GLOBOS!

A veces, mis unicornios
pierden su cuerno.

Pero no me preocupo,
porque les vuelve a crecer.

Vivir con unicornios da sus problemas.

Lo dejan todo tirado por ahí.

Intento explicar que la magia
es más importante que el orden,

pero creo que mi madre
no lo entiende.

Los unicornios tienen muchos enemigos,

así que, a veces, tengo que defenderlos.

Ser una experta en unicornios
es más duro de lo que la gente se piensa.

¡Menudo trabajo que tengo!

Mucha gente ni siquiera sabe
cómo es un unicornio de verdad.

Por eso necesitan a
Sofía Alegría, experta en unicornios.